Pourquoi lire des contes ?

Qu'ils soient nés dans l'esprit fécond d'un auteur ou venus du fond des âges et de pays lointains, les contes transmettent une culture, une tradition, ils parlent de nous; c'est pourquoi ils sont universels.
Comprendre, accepter les autres, mieux se connaître, se laisser porter par la magie des mots: c'est tout cela que les contes offrent.

Depuis 1931, les Albums du Père Castor proposent de merveilleuses histoires illustrées, et créent les classiques de la littérature pour enfants, d'hier et d'aujourd'hui.
Nous perpétuons cette tradition avec les talents d'auteurs de mots et d'images pour le plaisir toujours renouvelé du partage de la lecture...

Le gros navet

© Flammarion 2000
Dépôt légal : octobre 2000
ISBN : 978-2-0816-0194-9 – ISSN : 1768-2061
Imprimé par Pollina, Luçon, France – 03-2017 – L80472
Éditions Flammarion (L.01EJDNFP0194.C012) – 87, quai Panhard-et-Levassor, 75647 Paris Cedex 13
Loi n° 49-956 du 16 juillet 1949 sur les publications destinées à la jeunesse

Le gros navet

Un conte russe raconté par Robert Giraud
Illustrations de Gérard Franquin

Père Castor ■ Flammarion

Après le long hiver russe,
la neige avait fondu,
le printemps était revenu.

Il était temps de semer
les légumes dans le potager.

Le grand-père sema les légumes et,
pour finir, déposa dans un trou
une graine de navet.

Le grand-père prit bien soin de ses plantations.

Le navet, surtout, lui donnait de la satisfaction.
Il poussait plus vite que tous les autres légumes.

Le navet avait tant poussé
que le grand-père se demanda
comment il ferait pour le cueillir.

Le grand-père se retroussa les manches,
cracha dans ses mains,
empoigna les feuilles du navet, s'arc-bouta.

Mais le navet ne bougea pas d'un centimètre.

« Mère, viens m'aider ! »
cria le grand-père.

La grand-mère prit le grand-père par la taille,
le grand-père s'arc-bouta,
la grand-mère aussi.

Mais le navet ne bougea toujours pas.

« Allons, on recommence, plus fort ! »
lança le grand-père.
Et, pour soutenir son effort, il répétait :
« Tire, tire, tire-navet !
Tire, tire, tire-navet ! ».
Et la grand-mère reprenait :
« Tire, tire, tire-navet !
Tire, tire, tire-navet ! ».

Mais le navet demeurait rivé au sol.

« Va appeler notre petite-fille », proposa le grand-père.
« Macha, viens vite ici ! » appela la grand-mère.

Macha accourut et se cramponna à sa grand-mère.
Le grand-père s'arc-bouta, la grand-mère aussi,
Macha aussi, tout en scandant : « Tire, tire, tire-navet ! ».

Mais celui-ci ne voulait toujours pas bouger.

Macha siffla alors son chien Boby.

Boby déboula de la maison,
se précipita dans le potager
et s'accrocha à Macha.

Le grand-père s'arc-bouta,
la grand-mère aussi, Macha aussi, Boby aussi.
Les « Tire, tire, tire-navet ! » recommencèrent,
accompagnés des jappements furieux du chien.

Mais le navet faisait le sourd.

Que faire ? Le grand-père était désespéré.

Alors Macha alla chercher le chat.
Celui-ci arriva en s'étirant et s'accrocha à Boby.
Le grand-père s'arc-bouta, la grand-mère aussi,
Macha aussi, Boby aussi, le chat aussi.
Les miaulements se joignirent aux jappements
et aux « Tire, tire, tire-navet ! ».

Mais le légume géant manifestait
toujours la même mauvaise volonté.
Le grand-père et la grand-mère
étaient debout immobiles, les bras ballants,
Macha pleurait, Boby et le chat se regardaient.

C'est alors que la souris sortit de la maison.
Tous se remirent à tirer, la souris s'accrocha au chat
et le navet, aussitôt, jaillit de terre.
Personne n'avait même eu le temps de dire
« Tire, tire, tire-navet ! », d'aboyer ou de miauler.
Le grand-père tomba à la renverse
sur la grand-mère, la grand-mère sur Macha,
Macha sur Boby, Boby sur le chat,
et il n'y eut que la souris qui se dégagea à temps
pour ne pas se faire écraser.

Vous avez aimé cette histoire ?
Découvrez également...

Les Classiques du **Père Castor**
Dans la même collection

n° 114 | **Le Petit Poisson d'or**

Rose Celli
ill. Pierre Belvès

n° 85 | **Dans le ventre
du moustique**

Zemanel
ill. Maud Legrand

n° 33 | **Le Petit Hérisson
partageur**

Zemanel
ill. Vanessa Gautier

n° 16 | **Baba Yaga**

Rose Celli
ill. Christian Broutin

n° 82 | **Macha et l'ours**

Robert Giraud
ill. Anne Buguet

n° 5 | **Michka**

Marie Colmont
ill. F. Rojankovsky

Les Classiques du **Père Castor**
Dans la même collection

n° 48 | **Un bon tour de Renart**

Robert Giraud
ill. Henri Meunier

n° 15 | **Jacques et le haricot magique**

Robert Giraud
ill. Xavier Salomò

n° 32 | **Tom Pouce**

Un conte des Frères Grimm
ill. Amélie Dufour

n° 83 | **Babouchka**

Henri Troyat
ill. Olivier Tallec

n° 77 | **Dame Hiver**

Un conte des Frères Grimm
ill. Annette Marnat

n° 58 | **L'Ours et les trolls de la montagne**

Albena Ivanovitch-Lair
ill. Nathalie Ragondet